살면서 느낀점들

살면서 느낀점들

발 행 | 2024년 05월 30일
저 자 | 윤성필
펴낸이 | 한건희
펴낸곳 | 주식회사 부크크
출판사등록 | 2014.07.15.(제2014-16호)
주 소 | 서울특별시 금천구 가산디지털1로 119 SK트윈타워 A동 305호
전 화 | 1670-8316
이메일 | info@bookk.co.kr

ISBN | 979-11-410-8582-7

www.bookk.co.kr

살면서 느낀 점들

윤성필 지음

CONTENT

들어가며

나는 생각이 참 많은 사람이다. 때로는 끝을 알 수 없이 떠오르는 잡념에 짜증이 날 지경으로 생각이 많은 사람이다. 이 글을 쓰면서도 생각한다. 나는 생각이 참 많은 사람인데 글을 써보니 규칙도 없이 마구잡이로 떠오르는 그간의 잡념들과는 다르게 머릿속에 난잡하게 떠다니던 생각 상자들이 조금씩 정리되는 느낌이 들어 새삼 놀라운 감정이 든다.

어설프지만 글을 쓰기 시작한 것이 참 잘한 일이라는 생각이 들었다.

당신이 만약 여러 가지 일로 인해 복잡한 심경에 있다면 지금 바로 글을 써보는 것을 추천한다. 당장 떠오르는 것이 없더라도 좋아하는 노래가사라도 쓰다 보면 머릿속에 있는 것들이 튀어나와 잡념을 정리하는 데에 도움이 될 것이다.

아무튼 나는 왜 이렇게 생각이 많을까 싶어 기억을 거슬러 올라가 보니 나는 그냥 어릴 적부터 호기심이 많았다. 사람, 사물, 자연, 과학, 예술 어떤 분야든 가리지 않고 뭐든 내 머릿속에서 떠올릴 수 있는 것이라면 무엇이든 호기심이 많았다.

나이가 들면서 그 호기심의 강도가 줄어들었지만 여전히 나는 사람, 사물, 이것, 저것 내 삶을 구성하는 모든 요소들에 대해 순수한 호기심을 가지고 있다.

특히나 이 사람, 저 사람 그리고 나 또한 같은 '사람'이지만 똑같은 점이라고는 전혀 없는 알 수 없는 이 이상한 인간이라는 존재에 대해 강한 호기심을 가지고 있다.

그렇게 나는 내가 틈틈이 느꼈었던 나만의 깨달음이나 호기심 같은 것을 메모장에 적어놓곤 했는데 그 메모장을 참고하여 이 책을 적는다.

독자들과 내 생각을 나누고 싶다. 누구라도 내 생각을 나누는 일에 동참해 주신다면 그저 감사할 따름이다.

어떤 일의 본질 파악하기.

나무를 보지 말고 숲을 보라는 말과 비슷하면서도 약간은 다른 개념이다.

내 앞에 놓인 어떠한 상황에 대해 대체 그 일의 본질이 무엇인지 한 번쯤 생각해 보는 연습을 해보자.

그렇게 하면 그 일에 대한 나의 새로운 시선이 생겨난다. 기존의 내 생각이 너무 뻔하지 않았는지, 너무 편협하지는 않았는지 아니면 사소한 무언가에 사로잡혀 그 일의 아주 중요한 부분을 놓치고 있지는 않았는지. 이런 식으로 한 번 더 생각해 보는 것만으로도 내 사고가 환기되면서 스스로 좀 더 넓은 시야를 가질 수 있게 된다.

**삶이 편안하고 쉬우면
인생이 내리막길에 있는 것이고
삶이 힘들고 어려우면
인생이 오르막길에 있는 것이다.**

온갖 희로애락이 함께 어우러져 있는 것이 인생이다.

편하고 쉬운 것이 좋다지만 현재 내 인생이 내리막길에 놓여있는 것이 아닌가 이따금 경계해 보는 것이 좋다.

반대로 현재 내 삶이 어렵고 힘이 든다면 내 인생이 지금 오르막길이라 정상에 올라가는 과정이거니 하고 편하게 마음먹어보자. 그렇게 하면 당장 눈앞의 고난과 시련이 별거 아닌 것처럼 느껴지는 마법을 겪게 될 것이다.

적절한 고난이 있어야 진정한 기쁨과 행복을 맛볼 수 있는 것이다.

즐기자 아싸

초 중 고등학교 대학교 군대 그리고 회사, 크고 작은 모임이나 단체 등 언제나 나는 인싸에 해당했다. 매력이 철철 흘러넘쳐 타고난 인싸기질이라는 말이 절대 아니다. 굳이 둘 중에 하나 고르자면 인싸에 가깝다는 말이다.

무리 속에 속하면 왠지 모를 안도감 같은 것도 들고 새로운 인간관계와 함께 친밀한 유대감도 생긴다.

늘 그것이 당연한 듯 여기며 살아왔다

그런데 어떤 그룹에서는 아싸가 몇 번 되어보니 생각보다 나쁘지는 않더라. 오로지 나 자신에게 집중할 수 있고 내 감정과 시간, 노력, 재화를 소모하지 않아도 된다는 점이 상당히 매력적이었다.

필요에 따라서는 자발적 아싸가 되는 것도 나쁘지 않겠다는 생각이 들었다.

비바람 분다고 탓하지 마라.
삶의 모든 것은 오직 마음이 지어낸다.

주변을 돌아보면 무례한 사람들이 참으로 많다.

나도 젊은 시절에는 무례한 사람들과 맞서기 좋아했으며 그 사람들을 어떻게든 골탕 먹이고 그것도 모자라 항복 사인을 받고 나서야 직성이 풀렸다.

솔직히 지금도 그러한 성질이 아주 없어졌다고는 말할 수 없다. 그렇지만 인생은 짧고 무례한 사람들을 일일이 상대하기엔 내 시간과 감정이 너무 아깝다는 생각이 들었다.

나와 전혀 관련 없는 어떠한 것에 의하여 내 마음이 동요한다면 그것은 전적으로 내가 부족한 탓이다. 내 정신력이 부족한 탓이니라.

이미 일어난 혹은 일어나고 있는 일은 그저 있는 그대로 받아들이고 나의 내면에 집중하고 내 갈 길을 가자. 무소의 뿔처럼 혼자서 가라. 그거면 된다.

석가모니 왈
첫 번째 화살은 절대로 피할 수 없다.
그러나
두 번째 화살은 얼마든지 피할 수 있다.

생각지도 못한 상황에서 나를 향해 날아온 화살을 피할 수 있는 사람은 아무도 없다. 그렇지만 두 번째 화살은 얼마든지 피할 수 있다.

석가모니께서 이러한 가르침을 남겼다는데 처음 이 말을 들었을 때는 오호라 그렇구나 싶었지만 실제로 실천하기가 정말이지 무진장 어려웠다. 두 번째 화살을 피해내려다가 오히려 스스로 두 번째 화살을 만들어내 나에게 날리기까지 하니 참으로 기괴했다. 그렇다. 일개 조무래기가 석가모니를 따라 할 수 있을 리가 없지 않은가.

그렇게 이 훌륭한 가르침을 제대로 배우지 못하고 그 개념만을 가지고 살다가 영상에서 우연히 본 정주영 작가의 한마디가 이와 비슷한 상황에서 꽤나 심플하게 잘 적용이 되는듯하여 정주영 작가의 영상 내용을 소개해 본다.

<무례한 말은 내가 방심하고 있을 때 작심하고 훅 들어오기 마련이다. 방심하고 걷는 와중에 무언가가 날라와 탁!! 쳐버린 것인데 정주영 작가는 이것을 '말의 교통사고'라고 표현한다. 이미 사고가 나 마음을 다쳐버린 상태에서는 절대 상대방을 이길 수가 없으니 침묵하고 단호하게 쳐다보는 것으로 대응하라고 조언한다. 상대방 말의 기운은 내 눈을 통하여 그대로 상대에게 비칠 것이니 눈을 통하여 그대로 돌려주라고 말한다.>

나는 가끔 필요 이상으로 상대의 말에 휘둘리거나 또는 상대의 작은말에 상처받고 힘들어하는 내 모습에 놀랄 때가 있다.

성격이 소심해서 그런 건가 생각해 보면 그건 또 아닌 것 같다. 그저 말을 책임감 없이 내뱉는 행위를 싫어할 뿐이다.

아무튼 불쾌한 상황에 부닥쳤을 때 나름의 대처 방법을 이것저것 다 시도해 보았는데 이 방법이 나에겐 제일 잘 맞는 방법인 것 같다.

성공하고 싶다

뒤돌아보면 인생의 위기와 기회는 늘 내 주변에 있었다. 위기는 가만히 있어도 찾아오지만, 기회는 준비된 자에게만 찾아온다. 그래서 기회는 잘 눈치채지 못한다고 한다.

시간과 노력을 들여 만들어낸 가치는 보이지 않는 공간에 차곡차곡 쌓인다. 그 가치를 쌓아 올려 임계점에 도달하는 순간이 오면 비로소 그 가치는 빛을 보게 될 것이다.

인생에 요행이란 없다. 성공의 방법은 각자 다르며 나의 방법은 오로지 나만이 찾을 수 있다.

인생의 사고

사고가 멈추면 인간은 죽는다. 태어나고 자라면서 우리는 항상 새로운 경험을 하게 되고 이에 따라 사고가 점점 확장되지만 서른쯤에 접어들면서 새로운 경험들은 끝난다. 스스로의 노력 없이는 사고의 확장이 멈추게 된다. 하나의 인간은 하나의 우주라면서? 방대한 우주에 사고가 멈춰버리면 죽은 상태나 다름없는 것 아닌가?

사고의 확장을 위한 가장 손쉬운 방법은 독서이다. 독서가 아니라도 좋다. 스스로 깨어있어라. 죽지 않으려면 무엇이든 해라.

사람의 평판

주변 사람들을 한번 떠올려보자. 친절한 사람, 이기적인 사람, 매사에 적극적인 사람, 책임감 있는 사람, 소극적인 사람, 질투심 많은 사람 참 여러 가지 모습의 사람들이 떠오른다. 문득 이 사람들의 이러한 이미지는 언제 어떻게 형성되는 것일까 라는 궁금증이 들었다. 인간은 때로는 아주 단순하다.

그 사람의 평판은 아주 사소한 한마디 혹은 작은 행동 하나로 결정된다. 평소에 잘하다가도 단 한 번의 실수가 가져올 결과는 생각보다 크다. 누군가의 뇌리에 남을만한 한마디 말이 평소의 행실보다 더욱 크게 남는다.

생각은 말이 되고, 말이 행동이 되고, 행동이 습관이 되어, 습관이 운명이 된다. 라는 유명한 말이 있다.

누가 있든 없든 간에 나의 평소 습관이 아주 중요하다.

누군가의 평판 때문에 그런 것이 아니라 모든 것은 내 생각에서 출발해 내 인생 전체를 좌지우지할 수 있는 힘을 가지고 있기에 늘 조심해야 한다.

사람은 자신이 내뱉는 말로서 존재한다. 말은 내뱉는 순간 구속력을 가지고 스스로 책임감을 부여한다. 그러므로 말을 할 때에는 정말 신중히 해야 할 것이며, 행동 또한 마찬가지이다.

적을 사랑하라

신도 모두에게 사랑받지 못하는데 내가 무슨 수로 모두에게 사랑받을 수 있겠는가. 어디를 가든 적은 있기 마련이다. 적을 어려워 말고 나의 에너지를 끌어올리는 기폭제로 이용해 보자. 아이러니하게도 나를 아프게 하는 사람은 나를 한 단계 더 성장시키는 사람이다.

적을 잘 이용해 적당한 긴장감을 즐기다 보면 단시간에 폭발적인 에너지를 낼 수 있는 원동력이 되어준다.

채울 수 없는 감정

운전 중 라디오에서 들은 내용이다.

인생은 껍데기이며 무언가를 계속해서 채워 넣어가는 행위의 연속이다. 생산적인 일을 통해 무언가를 채워 넣어가는 것을 하지 못하는 사람은 다른 누군가를 만나는 행위로 그것을 채우려고 한다. 하지만 당연히 그 행위는 공허함을 채우기 힘든 것이며 또한 그 과정에서 많은 실수들이 일어난다. 무수한 관계 속에서 지칠 때면 그저 내 인생을 온전히 살아가면 그뿐이다. 어쩌면 그것만으로 충분하다는 생각이 들기도 하지만 인생이란 결코 그렇지 않다는 것을 우리는 이미 알고 있다. 인간은 사회적 존재이며 타인과의 관계 속에서 완성된다.

묻어두기

오래된 친구가 한 명 있는데 아주 직선적인 친구이다.

그해 겨울이 올 무렵 나는 유독 내적으로 많은 어려움을 겪고 있었다. 사내정치, 불만족스러운 회사정책, 약간의 번아웃, 육아 문제로 인한 와이프와의 빈번한 갈등 등등 여러 가지 일이 뒤죽박죽 엉키면서 마음이 도무지 갈피를 잡지 못하고 붕 뜬 채로 하루하루 살아내고 있었다. 이러한 상황들에 놓여 있다는 것을 알고 있었지만 내 노력만으로는 벗어날 수 없는 문제들이었고 잘 이겨내고 잘 버티고 있다고 스스로 자위했지만 조금씩 부정의 감정이 내 마음을 잠식하고 있었던 시기였다. 자신감이 바닥을 치고 있었고 어떤 일도 제대로 해낼 수 있을 것 같지 않던 나날이었다.

그러던 중에 직선적인 말을 쏟아내는 그 친구에게 문득

그간의 일들에 대해 서운한 마음을 가지게 되었고 내 자존감을 떨어트리는 그 친구의 태도에 감정을 품기 시작했다. 여러 악재와 겹치면서 무의식중에 그 감정은 커져갔다.

우연히 동네 포차에서 그 친구의 친형을 마주쳐 그 친구와 통화를 하게 되었는데 그 친구도 역시 술이 조금 된 상태였다. 서로 술이 된 상태에서 처음에는 이런저런 대화들을 하다가 결국에는 그 녀석에 대한 서운한 감정을 털어놓게 되었다. 시시비비를 가리자는 마음보다는 지금 너에 대한 내 마음이 이러하니 미안하다는 말 따위는 필요 없고 단지 네가 내 마음을 좀 헤아려주었으면 좋겠다는 마음에서였다. 그렇게 된다면 우리는 지금보다 좀 더 성숙한, 더 나은 관계로 나아가게 될 것이라 생각했다.

결과는 정반대였다. 그 친구 역시 나에게 정말 실망했다는 한마디를 남긴 채 그렇게 그 통화를 끝으로 우리는 아직까지 어떠한 교류도 없다.

나는 그 겨울 우리의 마지막 통화를 가끔 생각한다. 그 친구와 잘 맞았던 이유 중 하나는 직선적인 그 녀석의 성격이 나의 성격과도 잘 맞아떨어졌기 때문이었다. 나도 꽤나 뒤끝 없이 쿨한 걸 좋아하고 그런 태도로 살아왔지만 그 친구와의 마지막 통화에서만큼은 좀 참았어야 했다. 그때 그 감정을 그냥 마음한켠에 묻어두고 잊어버렸어야 했다.

밥은 먼저 사라

나는 신세 지는 것을 정말 싫어하며 복수와 보답은 꼭 하고 마는 편이다. 성격 때문만이 아니더라도 먼저 밥을 사게 되면 대체적으로는 그 관계의 주도권이 나에게 먼저 생기게 되는 편이더라. 그 사람이 어떤 사람인지 아직 잘 모르는 상황에서 괜히 신세를 지게 되면 나중에 원치 않게 끌려다니는 상황이 생길 수 있지만 내가 먼저 밥을 사게 되면 그 관계를 끊어내기가 훨씬 쉽더라. 괜한 인간관계로 스트레스 받지 않는 나만의 사소한 팁이랄까.

인생은 태도다

인생은 무엇으로 이루어지는가? 돈? 인간관계? 공기? 자연? 물질?

내가 내린 결론은 태도가 전부다. 똑같은 일에 대해 다른 태도를 가진다면 당연히 결과 또한 완전히 달라질 것이다.

이 말을 좀 더 설득력 있게 정확히 전달하기 위해 잘 풀어내고 싶지만 나는 그럴 자신이 없다. 그냥 그렇다. 살아보니 인생은 태도가 전부다.

체념하는 말도 아니고 누군가를 가르치려고 하는 말도 아니다. 그냥 그렇다.

거절하기

나는 거절하기를 참 못했다.

왜? 내가 착한 인간이라서? 딱히 그렇지는 않은데?

그럼 도대체 왜?

그냥 누군가를 도와주는 일이 좋아서라고 해두겠다. 그 일이 아주 힘들고 곤란한 일이 아니라면 대부분의 경우에 나처럼 그냥 도와주지 않는가? 마음이 착하고 여린 사람이 아니더라도 누군가의 부탁을 거절하는 행위 자체가 익숙하지 않은 사람이 대다수 일거라 생각한다.

이러한 태도가 내 삶을 온전히 내가 컨트롤하는 임무를 완수하는 데에 있어서는 상당한 걸림돌로 작용했다.

아이가 둘 태어나고 나서부터는 무언가를 이루어내야 한다는 압박감에 시달리며 내 인생을 내가 온전히 컨트롤하는 일이 하루 중 가장 중요한 임무 중 하나로 떠올랐다.

그러기 위해서는 내가 계획한 대로 인생이 나아가야 하는데 내가 아닌 다른 누군가에 의해 흐름이 끊기고 더디고 때로는 부정적인 감정에 헤매다 시간을 허비하기도 하는 나날들이 너무나 아까웠다.

이러다 나에게 거절할 용기를 준 건 다름 아닌 책이었다. 미움 받을 용기, 거절하기 등등 여러 가지 책을 읽고 거절할 마음을 먹은 후 실천해 보니 생각보다 쉬웠다. 그냥 아무것도 아니었다. '그래'라고 말하는 대신 '아니'라고 말할 뿐이었다.

요즘 나는 주변 지인들에게 다소 소홀한 태도를 유지하고 있다. 미안한 감정이 들기도 하지만 나부터 잘되어야 나중에라도 내 주변 사람들을 챙길 수 있을 테고 반대 입장이라면 얼마든지 나는 그들을 응원할 마음이 먼저 들기에 그들 또한 나를 이해해 줄 것이라 생각하며 나는 내가 지금 해야만 할 일들에 제1순위를 부여하기로 마음먹었다.

모든 공은 남에게로 돌려라.
나에게 돌아올 것이다.

옆사람이 잘 풀렸다고 부러워 하지 마라.

설령 내 도움을 받아 잘 풀렸다면 진심으로, 정말 진심으로 축하해줘라 그것이 현자의 태도다. 내 도움이 없었더라면 절대 그 자리에 오르지 못했을지라도 내 공로 따위는 잊어라. 전혀 부질없는 일이다.

인생은 사필귀정이라. 결국엔 옳은 이치대로 돌아간다. 다만 시간이 좀 걸릴 거라는 거. 그리고 얼마나 걸릴지도 모른다는 거.

이기거나, 배우거나

어떤 일이든 그 일의 성패 따위는 없다.

성공과 실패는 인간들이 제멋대로 정해놓은 개념이지 애초에 그 일의 성패 따위를 가를 수 있는 기준은 우주 어디에도 없다.

지난 과거에서 교훈을 얻거나, 그러지 못하거나 둘 중 하나다.

배우기를 두려워하는 이에게 결코 희망찬 미래란 없다.

금연 5년차

한 스무 번 정도는 시도한 것 같다. 한 시간도 안 되어 실패하기도 하고 이틀 만에 실패하기도 하고 보건소도 가고 껌도 씹어보고 뭐 이것저것 다 해보았다.

그러다 술을 엄청나게 먹은 다음 날 순간적인 충동으로 주머니 속에 있던 담배를 몽땅 버려버리고 3년 정도 금연하다가 지인 때문에 화나는 일이 생겨 다시 담배에 손을 대기 시작해 한 3개월을 다시 담배를 입에 물고 지내다 또다시 금연한 지가 2년 정도 되었다.

지나고 나서 생각해 보건대 그동안은 시도는 사실 시도하는 흉내만 낸 것이었다. 내 마음에 정말 확실하고 견고한 마음이 없는 상태였던 것이다.

내가 금연에 성공한 모습을 보며 다들 담배를 끊기는 끊어야 하는데 쉽지 않다고들 말한다.

도움이 될지 모르겠지만 생각을 한번 달리 해보자.

담배를 끊는 행위는 무언가를 해야 하는 행위가 아니다.

다이어트를 하기 위해서는 체육관에 가야하고 운동을 해야 한다. 자격증을 따기 위해서는 학원에 가야하고 공부를 해야 한다. 어떤 목적을 달성하기 위해서는 반드시 무언가를 해야 한다.

그런데 금연이란 것은 무언가를 할 필요가 없다. 그냥 하지 않으면 그만이다. 담배를 구입하기 위해 편의점에 갈 필요가 없고 늦은 밤 귀찮게 이것저것 신경 쓰며 인적이 드문 장소를 찾아 왔다 갔다 할 필요가 없다.

그냥 하지 않으면 그만이다. 아무것도 하지 않음으로써 금연이라는 목적을 달성할 수 있는 것이다.

금연 파이팅!

공수래공수거

살다 보니 인생은 뺏고 뺏기는 일의 연속인 듯하다. 뺏을 때는 별다른 죄책감이 들지 않다가도 뺏길 때는 또 왜 그렇게 억울한지 모르겠다. 이렇게 억울한 감정에 취해있을 때 나를 해탈에 빠지게 한 가르침이 있었다. 빈손으로 왔다가 빈손으로 돌아가는 것이 인생인데 본래 내 것이 어디 있느냐? 모든 것은 원래 내 것이 아니었으며 그저 내가 잠시 사용할 뿐이니라. 라고 어디선가 우연히 듣게 되었고 그렇게 생각하니 마음에 평안이 찾아왔다. 그 뒤로는 많든 적든 내가 사용할 수 있는 것이 있다는 사실에 그저 감사하며 살아간다.

여기서 주의할 점이 있는데 너무 모든 일에 초연해질 필요는 없다. 적당히 티를 낼 줄 알아야 하고 그게 바로 기술이다.

기대를 하지 마라

누군가에게 기대하는 자체가 이미 실망으로 가고 있는 것이다. 그냥 무덤덤하게 있는 그대로 바라보아라.

내가 좋아하는 한 유튜버가 자신은 사람을 믿지 않고 그 대신 돈을 믿는다고 한다. 그 말을 곱씹어보니 꽤 편리한 개념이라 나도 모르게 사람에게 기대감을 갖게 될 때에 종종 떠올리곤 한다. 이 생각을 적용하면 사람에게 상처받을 일이 줄어든다.

인간은 사실 그다지 위대한 존재가 아니다. 제일 먼저 나를 들여다보자. 아침저녁으로 손바닥 뒤집듯 생각이 바뀌고 하루에 열두 번도 더 사소한 유혹에 빠지는 아주 나약한 존재가 아닌가. 당장 나조차 이렇게 나약한데 다른 사람에게 기대를 거는 자체가 오류가 있지 않는가.

깊이 생각하지 않기

누군가의 말이나 행동에 대해 깊이 생각하지 않는 편이 좋다. 대응을 해야 할 문제라면 그 자리에서 바로 대응하고 즉시 끝내버려라. 그 정도로 심각한 일이 아니라면 뒤돌아서서 그냥 잊어버려라.

지금부터 코끼리를 생각하지 마시오.

이 문장을 보는 순간 코끼리가 더욱 생각이 날 것이다. 부정적인 감정에서 빠져나오는 일이 말처럼 쉽지는 않다. 내가 활용하는 몇 가지 방법이 있다.

첫 번째는 심호흡이다.

부정적 감정에 빠졌을 때 그 즉시 시도할 수 있으며 가장 쉬우면서도 효과적인 방법이다.

한 번으로 되지 않는다면 두 번 세 번 시도하는 것

도 가능하다.

두 번째로는 환경을 바꾸는 것이다.

지금 당신은 어딘가에서 독서를 하고 있을 텐데 장소를 이동하든지 독서하는 일을 중단하든지 하면 코끼리가 머릿속에서 떠날 것이다.

생각을 많이 하면 망상에 현실을 사로잡히게 된다.

어떠한 일, 특히 지나간 일에 대해 생각을 너무 많이 하지 않는 연습을 하는 것이 좋다.

가수 윤종신이 한 인터뷰에서 한 말을 소개해 본다.

'내가 과거에 낸 앨범에 대해서는 그 어떤 생각도 하지 않는다. 나는 그것들을 그저 배설물이라고 생각한다. 내가 앞으로 작업하게 될 앨범에 대해서만 고민한다.'

내 마음이 가난해서 줄 게 상처밖에 없었네

사람이 살면서 숨길 수 없는 것이 세 가지가 있다고 한다. 하나는 기침 하나는 사랑 또 하나는 가난이다.

마음이 가난하던 시절이 있었다. 지금은 그래도 중산층 정도는 되지 않나 싶지만 아직도 이따금 마음이 가난해진다. 가난이 찾아온 걸 뒤늦게 눈치채 보지만 언제나 한발 늦다. 이미 상대에게 상처를 주고 나서야 가난을 깨닫고 후회한다.

대체 이 졸렬한 마음의 싹은 어떻게 해야 싸그리 끊어낼 수 있을까? 남자답게 태평양처럼 넓은 마음으로 살고 싶은데 뜻대로 잘되지 않는다.

보려고 해야 보인다

내 앞에 다이아몬드가 빛나고 있더라도 내가 찾아보아야 보인다. 하고자 하는 바가 있어야 이루어진다. 내 앞에 수많은 기회가 기다리고 있음에도 어떠한 의지도 없다면 내가 가질 수 있는 것은 아무것도 없다.

가고자 하는 의지가 있는 자에게는 길이 보인다.

배우자를 섬겨라. 누구보다 믿어주고 어디를 가든 절대 험담하지 마라. 당신이 먼저 배우자를 존중하지 않는다면 다른 누구도 당신의 배우자를 존중해주지 않을 것이다.

당신의 눈앞에 빛나고 있는 다이아몬드는 바로 당신의 배우자다.

배가 고프면 먹잖아

나의 뇌리에 남아 지워지지 않는 말이 몇 가지 있다.

그중 하나는 고등학생 때 수능을 마치고 바로 알바하게 된 돼지갈비집 사장님의 말씀이다. 말씀이라고 할 것도 없다. 그냥 정신없이 바쁜 와중에 어쩌다 가볍게 툭 던진 한 마디였는데 아직까지 나의 뇌리에 남아 이따금 떠오른다.

'사람이 배가 고프면 밥을 먹듯이 머리가 비었다 싶으면 채워넣어야지'라고 말씀하셨다. 망치로 머리를 맞은 것처럼 충격적인 깨달음에 그때 그 장면은 마치 영화의 한 장면처럼 사장님의 표정, 눈짓, 행동 하나 마치 어제 일처럼 기억

난다.

생각지도 못한 돼지갈비집 아르바이트를 하던 와중에 피크타임에 제일 바쁜 시간대라 저녁도 한 명씩 번갈아 가며 먹던 그 정신없는 와중에 순간적으로 깊은 가르침을 얻은 나는 때때로 그 장면을 아직까지도 떠올리며 책을 멀리하지 않으려 애쓰며 살고 있다.

이 말은 심지어 나에게 한 말도 아니었다. 같이 알바하던 다른 친구에게 한 말이었다.

그때 그 사장님은 자신의 말이 누군가에게 어마어마한 영향력을 끼치고 있다는 사실은 꿈에도 생각 못 하고 지내시겠지?

듣고 싶은 말 한번 해주어라

나의 뇌리에 남아 지워지지 않는 말이 몇 가지 있다.

그중 또 하나는 직장생활을 하며 따르던 선배가 한 말이다. 이 말 역시나 특별할 것 없었다. 멋있는 말을 하려고 잔뜩 힘이 들어간 말이 아니라 지나가듯 툭 던진 한마디가 내 심금을 울리기에 그 후로도 방향성을 잃거나 앞뒤 보지 않고 막 나가고 싶을 때 한 번씩 곱씹어보는 내용이다.

회사생활을 접고 프리랜서로 일하기 전에 찰나의 순간 지나가듯 나에게 해준 조언이 뇌리에 강하게 남아 그 후로도 정말 수백 번을 떠올렸던 것 같다.

'인사는 일단 먼저 해라. 인사받기 좋아하는 사람들한테 인사 한번 먼저 해주는 거 어렵지 않은 일이지 않느냐. 돈이 들지도 않는 일이니 기꺼이 먼저 해주어라. 그리고 필요하다면 그 사람들이 듣고 싶은 말이 있거들랑 그 말도 한번 해주어라.'

처음엔 깨닫지 못했는데 이 별거 아닌 말이 사실은 선배의 그동안의 시간과 노력이 상당히 함축된 조언이었다.

이 조언을 나는 삶의 다양한 상황에서 종종 떠올리고는 한다.

대통령도 하지 못하는 것

나의 뇌리에 남아 지워지지 않는 말이 몇 가지 있다.

마지막으로 소개할 말은 나의 할머니가 하신 말씀이다. 어느덧 연세가 아흔이 넘어가신 나의 할머니는 갑자기 건강이 안 좋아지시는 바람에 급하게 병원에 입원하신 적이 있는데 그 당시 병원에서는 건강이 많이 안 좋으시니 가족들은 어느 정도 마음의 준비를 하시는 것이 좋겠다는 말까지 했었지만 어느 날 보란 듯이 멀쩡히 회복하셨다.

그렇게 온 가족을 깜짝 놀래키신 후 가족들이 다 같이 모인 날에 할머니가 자식들 혼내시며 하신 말씀이다.

'사람이 어떻게 하고픈 말을 다 하며 사느냐, 대통령도 저 하고픈 말을 다 하지 못하며 산다.'

이날 역시나 머리가 띵 했다. 바로 얼마 전까지 병원에서 위독하셨던 할머니인데 멀쩡히 퇴원하시고는 저런 말씀을 하신다. 참으로 신기했고 기분이 좋았다. 다 큰 어른들을 혼낼 수 있는 더 큰 어른이 있다는 것이, 그날만큼 할머니가 그렇게 든든하게 느껴진 적이 없었다.

할 필요가 없거나 혹은 해서는 안 될 말이 하고 싶어질 때가 종종 있는데 그때마다 나는 할머니의 훈계를 항상 떠올리곤 한다.

제일 무서운 생각

절대로 다 안다고 생각하지 마라.

다 안다는 것은 아무것도 모르는 것과 같다.

각양각색의 인간들이 한데 어우러져 살아가는 것이 인생이다. 저마다의 알 수 없는 이유가 있다.

매 순간 마음을 다스리고 결코 남을 쉽게 판단하지 마라.

나의 평생을 결정짓는 의외의 것

내 것이지만 내 뜻대로 잘되지 않는 것이 바로 감정이다. 이 감정을 내가 어떻게 다루느냐에 따라 하루가 다르게 펼쳐질 것이며, 한 달, 1년, 2년, 거짓말 같겠지만 평생이 결정된다.

스스로 내 감정 하나 제대로 컨트롤하지 못한다면 평생 삼류로 살게 될 것이다.

내 감정을 다루는 연습을 부지런히 하자. 내 감정을 다루기 위해 제일 첫 번째 할 일은 내 감정을 있는 그대로 받아들이고 인정하는 것에서 출발한다.

내 안에서 어떠한 감정이 피어난다면 남일 보듯이 가만히 한번 관찰해 보라. 생각보다 재미있다.

나이가 드니

나이가 드니 잘 안되는 것들이 몇 가지 있다.

점점 고장 나는 신체기관을 이야기하는 것이 아니다.

흰머리가 늘고 아침잠이 줄고 체력이 떨어지는 따위의 신체능력의 저하는 너무나 슬픈 일이기에 언급하지 않겠다.

하나는 내 잘못을 인정하는 것

아니 어쩌면 내 잘못을 인정하지 않는 것이 아니라 이제껏 내가 그렇게 살아왔기에 잘못을 잘못이라고 전혀 인지하지 못하는 상태가 되었달까

또 하나는 먼저 인사하는 것

사회초년생 때는 누구 할 거 없이 먼저 인사하고 뻔한 몇

마디 주고받는 게 그렇게 좋았다. 그리고 누구에게나 내가 먼저 인사하더라도 전혀 손해 볼 것이 없었다.

그런데 이제는 내가 먼저 인사하면 왠지 손해 보는 것 같고 지고 들어가는 것 같고 실은 아무도 신경 쓰지 않고 있는데 혼자서 괜스레 잡스러운 마음이 생겨나기에 차라리 인사를 안 하고 지내는 것이 편하다고 생각해 버리고 말더라.

마지막 하나는 미안하다고 말하는 것

사회생활을 하다 보면 본의 아니게 누군가에게 피해를 주게 되거나 원치 않는 오해가 생기는 경우가 얼마든지 있을 수 있는데 그런 상황에서 굳이 해명을 하고 미안합니다. 라는 말을 하기가 점점 더 귀찮아지더라.

네 알겠습니다

이건 최근에서야 생각한 것인데 이 생각을 조금 더 빨리 깨달았더라면 좋았을 걸 하는 아쉬움이 많이 남는다.

아버지와의 사소한 갈등을 몇 번 겪고 나서 내가 어떻게 대처했더라면 갈등 상황을 피할 수 있었을까 하고 고심 끝에 생각해 낸 방법이다.

부모님과의 사소한 의견 차이가 있거든 일단은 부모님 말씀에 '네 알겠습니다.'라고 답해라. 그거면 끝난다. 더 말할 것도 없이 그냥 상황종료다.

그 후에 너의 뜻대로 하면 그만이다. 부모라 할지라도 너의 의견과 생각을 오롯이 다 이해할 수 없는 노릇이고 또 이해할 필요도 없다.

어쨌든 부모의 잔소리는 자식을 사랑하는 마음에서 비롯된 것이니 그 잔소리를 이기려고 들지 마라. 이미 한평생을 그렇게 살아온 존재이니 부모를 있는 그대로 받아들여라.

마치며

어떻게 지내냐는 친구의 물음에 자동차로 대답하였다.

그 당시 엄청나게 흥행한 아주 오래된 자동차 광고영상에서 사용된 문구이다.

얼마 전 친구가 물었다. 요즘 어떻게 지내냐고.

딱히 뭐라 할 말이 없었다. 실은 할 말이 너무 많기에 말하지 않기로 했다. 그 많은 이야기에 관심을 가질만한 사람은 나 자신 그리고 기껏해야 가족들 정도가 전부인 걸 알고 있기에.

한 나라의 역사에 대해 관심을 가지는 이들은 많다.

그렇지만 '나'라는 인간의 역사는 내가 아니면 도대체 누가 관심을 가지겠는가? 요즈음 나의 인생을 기록으로 좀 남겨보자는 생각이 문득 들어 쓰게 된 인생 4학년에 막 접어든 한 남자가 쓰는 현재 내 자신에 대한 기록물이다.

이 기록물이 요즘 어떻게 지내냐는 나의 지인들과 가족들의 물음에 대답이 되었으면 한다.

여기까지가 내가 살아오며 인간답게 살기 위해 노력한 고민의 흔적들이다. 사실은 더 많지만, 최대한 공감이 갈만한 내용들만 추려봤다. 두서없이 아무렇게나 적어 놓은 메모장을 보면서 언젠가는 이 내용을 잘 정돈해서 책을 만들고 싶다는 생각이 있었는데 잘 정돈하지는 못했지만 그래도 책을 출간하게 되어 너무나 뿌듯하다.

좋은 기회를 주신 지자체 관계자분들과 잘자유 작가님 그리고 매주 만나 서로 힘이 되어준 다른 작가님들께 감사 인사를 드립니다.

이렇게 적어 보니 제대로 잘 사는 것이 참 쉽지가 않다. 삶의 반대편에 죽음이 있듯 인생의 모든 일은 양면성의 연속이다. 대립하는 개념이 상관관계를 가지고 있기도 하고 더없이 좋은 태도일지라도 그쪽으로 너무 기울게 되면 점차 도태되는 수밖에 없다.

그렇다고 너무 주눅들 필요도 없고 너무 자만해서도 안 된다. 자신의 답은 자신만이 가질 수 있고 모든 일을 다 알 수 없듯 모든 일을 잘 해낼 수 없는 것이 인간이다.

내가 잘할 수 있는 것에 집중하여 스스로 자존감을 높이고 나아가는 수밖에 없다. 그러기 위해서는 배움을 게을리 해서는 안 된다. 자신을 경계하고 머물러있는 것을 두려워 해라. 그리고 자신을 완성시켜라. 우리는 완성된 상태로 태어나지 않는다.

끝으로 내가 이렇게 건강한 고민을 하며 살아올 수 있었던 것은 늘 한결같은 모습으로 가족의 일상을 지켜준 훌륭하신 나의 아버지, 그리고 언제나 건강한 생각과 진취적인 모습으로 귀감이 되어 평생 나에게 건강한 자극이 되어주고 있는 나의 어머니, 늘 자식들이 먼저인 할머니 그리고 고모, 삼촌, 이모 이렇게 좋은 가족들이 긍정적인 바탕감점을 만들어 주셨기에 가능한 일이라 생각한다. 모두 사랑합니다.